A VILLAGE IN NORMANDY

UN VILLAGE EN NORMANDIE

The BOBBS-MERRILL Company, Inc.

A Subsidiary of Howard W. Sams & Co., Inc.

PUBLISHERS   Indianapolis   Kansas City   New York

A VILLAGE
IN NORMANDY

written and illustrated by **Laurence**
text in English and French

À Grand-maman

My home is a little village, in the middle of the fields of Normandy.

J'habite un petit village, au milieu des champs de Normandie.

This is the cafe.
The post office is in a corner of the cafe.
Martha runs the cafe.
She is also the postmistress.

Voici le café.
Dans un coin du café se trouve la poste.
Marthe tient le café.
Elle est aussi la postière.

This is Ferdinand, the postman.
After he finishes breakfast at the cafe, he gets
   on his bicycle and delivers the mail all
   around the village green.

Voici Ferdinand, le facteur.
Après avoir pris son petit déjeuner au café, il
   monte sur sa bicyclette et s'en va distribuer
   le courrier autour de la place du village.

This is the church.   Voici l'église.

This is the school.   Voici l'école.

This is the town hall.
The big clock never tells the correct time, but
the people don't mind.
They get up in the morning and go to bed at
night.

Voici la mairie.
La grosse horloge n'est jamais exacte, mais
cela ne dérange personne.
On se lève le matin et on se couche le soir.

This is the Mayor.
He is also the fire chief.
After giving the Mayor his mail, the post-
man rides his bicycle down the main street.

Voici monsieur le maire.
Il est aussi chef des pompiers.
Après avoir donné au maire son courrier, le
facteur continue le long de la grande rue.

This is the bakery.
The baker's wife watches out the window
   all day long.
When a customer opens the door, a little
   bell rings and she smiles.

Voici la boulangerie.
La boulangère regarde par la fenêtre toute la
   journée.
Quand un client ouvre la porte, une clochette
   tinte et elle sourit.

Across the street is the butcher shop.
The butcher is so fat he can hardly get through
    his own doorway.

De l'autre côté de la rue se trouve la boucherie.
Le boucher est si gros, il passe à peine par sa
    porte.

This is the general store.
The storekeeper sells everything: butter, eggs,
    flypaper, and all kinds of candy.

Voici l'épicerie.
Le marchand vend tout: du beurre, des oeufs, des
    attrape-mouches, et toutes sortes de sucreries.

On the edge of the village is a castle.
Grand people lived there long ago, but now
there is only a gardener.
The gardener carefully tends the trees and
flowers.

Au bout du village il y a un château.
Autrefois de grands personnages l'habitaient,
mais aujourd'hui il n'y a plus qu'un jardinier.
Il cultive les arbres et les fleurs avec grand soin.

Next to the castle is the pond.
The water is still.

Auprès du château se trouve l'étang.
L'eau est tranquille.

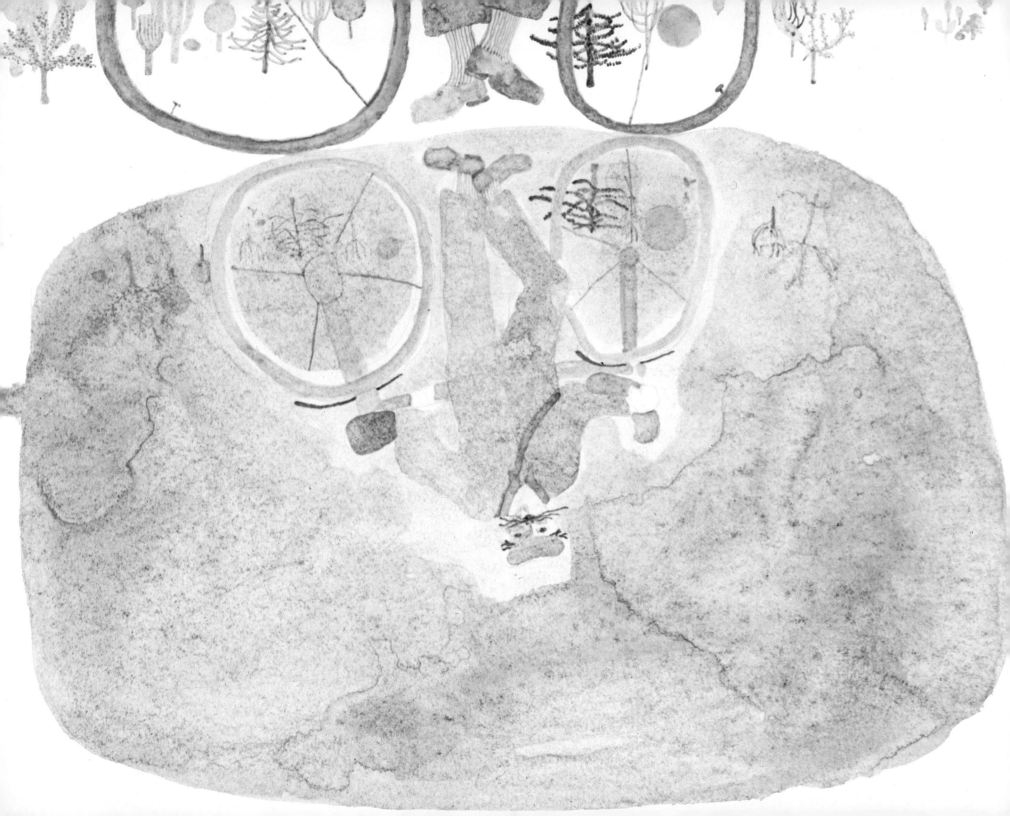

Ferdinand delivers mail to the dairy farm.
Cheese, milk, and cream for the village come
from this farm.

Ferdinand apporte le courrier à la ferme laitière.
De là, partent le fromage, le lait, et la crème pour
le village.

The last stop is the blacksmith shop, where all the horses of the village get their new shoes.

La dernière halte est chez le maréchal ferrant, où tous les chevaux du village se font ferrer.

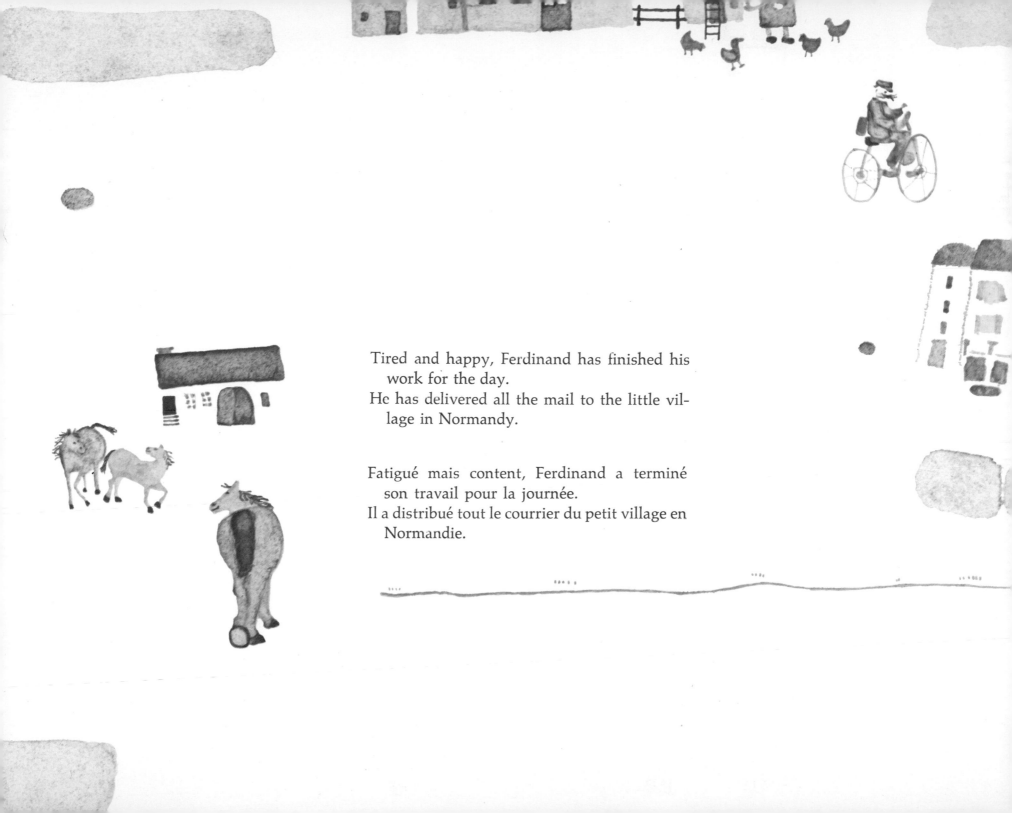

Tired and happy, Ferdinand has finished his
  work for the day.
He has delivered all the mail to the little village in Normandy.

Fatigué mais content, Ferdinand a terminé
  son travail pour la journée.
Il a distribué tout le courrier du petit village en
  Normandie.

END

FIN